Illustrations: Ann De Bode
Réalisation: Projectgroep Van In/Malmberg
Titre original: *Bang voor de bende*
© Van In, 1997. Éditions Van In, Grote Markt 38, B-2500 Lier
Exclusivité au Canada © Éditions École Active,
2244, rue De Rouen, Montréal, Qué. H2K 1L5

Bibliothèque nationale du Québec, **1997**
Bibliothèque nationale du Canada, **1997**
ISBN: 2-89069-552-2

ANN DE BODE • RIEN BROERE

Du racket à l'école

Collection Éclats de Vie

ÉDITIONS ÉCOLE ACTIVE

Frédéric et Benoît sont en route pour l'école.
Ils y vont toujours ensemble. Cela fait des années
qu'ils sont amis. Or, depuis quelque temps, Frédéric trouve
que Benoît est bizarre : il n'a plus jamais envie de jouer !
Et quand Frédéric lui demande ce qui se passe, son ami
ne lui répond pas vraiment.
– Je n'ai pas envie… Voilà, c'est tout, dit simplement Benoît
Est-ce que Benoît serait malade ? se demande Frédéric.

Ils arrivent près de l'école. Devant la grille, il y a… la Bande !
Quatre garçons et deux filles qui sont dans les grandes classes.
Toute l'école a peur d'eux.

– Tiens, tiens ! Mais c'est Benoît ! ricane l'un d'eux
en les voyant arriver.

– Tu les connais ? demande Frédéric, très étonné.

– Oh… un peu je les connais un peu.

Les élèves sont en train de travailler dur.
Tout à coup, l'instituteur frappe dans ses mains :
– Écoutez, dit-il. Il s'est passé quelque chose de très ennuyeux.
Benoît ne trouve plus son beau stylo tout neuf. Il l'a cherché
partout. Il est le quatrième qui perd quelque chose.
Je crois qu'il y a un voleur dans la classe.

Frédéric regarde autour de lui. Un voleur parmi ses copains ?
Il n'arrive pas à y croire… Il remarque alors que Delphine
le fixe. Bientôt, elle va penser que c'est lui, le voleur !
L'idée fait très peur à Frédéric. Il sent qu'il devient tout rouge.

Pendant la récréation, ils sont l'un près de l'autre.
– C'est triste pour ton stylo, dit Frédéric.
Benoît baisse la tête. Il a l'air très malheureux.
– C'était un cadeau de mon grand-père.
En plus, il était en argent. Maman va me gronder.
– Mais on te l'a volé ! Ce n'est pas de ta faute !
– Non, soupire Benoît. C'est vrai…

Frédéric a l'air dans les nuages. Exactement comme s'il réfléchissait à un problème de calcul. Mais il pense sans arrêt à ce vol. Il est sûr qu'il faut faire quelque chose. Mais quoi ? Il n'en a aucune idée. Prévenir la police ? Mais se déplace-t-elle pour un stylo ? Les questions tournent dans sa tête.

Frédéric réfléchit longtemps encore. Un voleur à l'école…
ce n'est pas possible ! Il faut absolument que quelqu'un agisse !
Soudain, un grand sourire apparaît sur son visage. Ca y est !
Frédéric a un plan. Après l'école, il demandera à Benoît
s'il est d'accord pour l'aider.

– J'ai une idée, dit Frédéric. Toi et moi, on va devenir
des détectives. Nous allons découvrir le voleur, et on parlera
de nous dans le journal !
– De toi, peut-être, mais de moi, sûrement pas.
Je ne t'aiderai pas. Je rentre à la maison.
Benoît s'éloigne, sans se retourner.
– Eh bien, se dit Frédéric, en voilà un drôle d'ami !

Bon, pense Frédéric, je vais me débrouiller tout seul, alors.
Je suis F., l'agent secret, le génial détective. L'agent F. est rusé
comme le renard. Il est courageux comme le lion. Il est agile
comme le tigre. Et il a le regard perçant de l'aigle.
Attention ! L'agent F. va se mettre sur l'affaire !

En marchant, Frédéric arrive près d'un terrain vague et là, il aperçoit un petit groupe. C'est la Bande ! Benoît, son grand ami Benoît est avec eux ! Peut-être sont-ils en train de l'ennuyer ? L'agent secret F. veut en savoir plus… Vite, il se cache derrière une haie pour les espionner sans être repéré.

Frédéric observe la Bande. Benoît est au milieu d'eux.
Autour de lui, les autres s'agitent, semblent le menacer.
Frédéric n'arrive pas à comprendre ce qu'ils disent.
Benoît prend alors quelque chose dans la poche de son pantalon
et le donne à l'un des garçons. L'objet brille mais Frédéric
ne voit pas ce que c'est.

Tout à coup, Benoît part en courant. Frédéric se fait tout petit
derrière la haie. Benoît passe sans le voir. Il s'enfuit à toute
vitesse. Frédéric l'entend haleter. Et il l'entend pleurer aussi.
Que se passe-t-il ? Il doit à tout prix y aller :
son ami a besoin de lui.

Aïe ! Catastrophe ! Au moment où Frédéric sort de sa cachette,
il tombe nez à nez avec la Bande.
– Regardez-moi ça, dit une des filles. Mais c'est l'ami de Benoît !
Toi aussi, tu viens nous apporter quelque chose ?
Et c'est alors que Frédéric voit qu'elle tient dans sa main
le stylo de Benoît !

Frédéric oublie qu'il a peur. Il est tellement en colère !
– Bande de voleurs ! hurle-t-il. Ce stylo n'est pas à vous !
– Mais nous ne volons rien, répond la fille. C'est ton ami qui…
– Tais-toi ! crie un des garçons. Tu vas nous faire tout rater !
Va-t-en, ajoute-t-il pour Frédéric.
Et tu n'as pas intérêt à parler…

Frédéric passe le reste de sa journée à se creuser la tête.
Il n'arrive même pas à lire un livre. Qu'a voulu dire la Bande
à propos de Benoît ?
Frédéric ne sait plus très bien… Soudain, il revoit la fille
devant lui : c'était bien le stylo de Benoît qu'elle tenait dans
la main ! Donc ce sont eux, les voleurs ! Il n'y a pas d'autre
explication. Demain, il en parlera avec son ami.

Dès qu'il aperçoit Benoît, le lendemain, il se met à crier :
– Les voleurs ! Ton stylo ! La Bande !
Frédéric est tellement excité que les mots se bousculent.
– C'est la Bande qui a volé ton stylo. Je l'ai vu ! Nous devons
tout dire à Monsieur Gaëtan !

Les yeux de Benoît s'agrandissent de frayeur.
Il rougit jusqu'aux oreilles.
– Non ! Non ! bredouille-t-il. Ne dis rien à Monsieur Gaëtan.
Je t'en supplie !
Frédéric regarde son ami, stupéfait. Il ne comprend
plus rien du tout.

Quelques heures plus tard, Frédéric revient des toilettes.
Il entend la porte de la classe s'ouvrir. Il y a quelqu'un dans
le couloir. Instinctivement, Frédéric, l'agent secret F.,
se plaque contre le mur et s'empêche de respirer. Il attend.
Quand il voit ce qui se passe, il est glacé d'horreur.

Quelqu'un est en train de fouiller dans les poches des manteaux !
– C'est le voleur ! pense Frédéric.
Il regarde bien. Ce pull… ce pantalon… ces chaussures !
Il les connaît ! Frédéric s'aplatit contre le mur. Son cœur cogne
dans sa poitrine : il a reconnu le voleur.
Il n'a jamais eu aussi peur de sa vie.

Un peu plus tard, il entend la porte s'ouvrir encore
puis se refermer. Le voleur est rentré en classe.
– Benoît ! pense Frédéric. C'était Benoît !
Il reste là un long moment, sans bouger. Que doit-il faire
maintenant qu'il a démasqué le voleur ?
Et, en plus, c'est son meilleur ami !

Frédéric est bouleversé. Il n'arrive pas à se concentrer.
Doit-il parler ? Doit-il se taire ?
À la fin de la journée, Frédéric traîne dans la classe.
– Frédéric, dit Monsieur Gaëtan, j'ai bien vu que tu avais un souci. Que se passe-t-il ?
Frédéric avale sa salive. Il a des frissons dans les jambes.
    – Tu peux me parler…
    – Je… je sais qui est le voleur, Monsieur.

– Bon, dit l'instituteur. Et qui est-ce ?

– Benoît, chuchote Frédéric. Le voleur, c'est Benoît.

Et, d'un coup, il raconte tout ce qu'il a vu. Il parle de Benoît
au milieu de la Bande, de la fille, de son ami qu'il a reconnu
dans le couloir…

Quand l'instituteur entend cela, il semble comprendre.

– Ah, murmure-t-il, c'est donc ça !

D'abord soulagé, Frédéric a brusquement envie de pleurer.
— Vous allez dire que j'ai rapporté ?
— N'aie pas peur, dit l'instituteur. C'est très bien que tu m'aies
tout raconté. Je pense même que tu as aidé Benoît.
C'est maintenant à moi d'agir. Je t'expliquerai plus tard.
Pour l'instant, je ne veux pas accuser quelqu'un
sans être sûr qu'il soit coupable.

Maintenant, Frédéric est un agent secret avec un gros secret.
Le lendemain, il se tait. Avant la récréation, la directrice entre
dans la classe. Elle va vers Benoît et lui dit quelque chose
à l'oreille. Benoît se lève et la suit. Il a l'air d'avoir peur.
– Pauvre Benoît, pense Frédéric.

À l'heure de la récréation, Benoît n'est toujours pas revenu.
Frédéric pense à lui. Puis la directrice arrive dans la cour.
Elle a l'air très fâchée. Elle va droit vers la Bande.
Frédéric n'entend pas ce qu'elle dit. Mais il voit que les garçons
et les filles de la Bande ont peur. Dans un silence de mort,
la directrice les fait rentrer.

La récréation est terminée depuis longtemps.
Tous les élèves sont assis à leur place quand Benoît rentre.
Avant de s'asseoir, il regarde Frédéric. Frédéric fait semblant
de lire. Mais il s'est rendu compte que Benoît avait pleuré.
Frédéric a même l'impression qu'il est très fâché.
Peut-être que la directrice lui a raconté qu'il avait rapporté…

La journée est finie. Monsieur Gaëtan
renvoie les élèves chez eux.
– Frédéric, dit-il, peux-tu rester un peu pour m'aider ?
La classe est vide. Il ne reste que Frédéric et l'instituteur.
– Que dois-je faire ? demande Frédéric.
– Rien, dit l'instituteur. C'était juste un prétexte
pour que tu restes. Je veux t'expliquer ce qui
s'est passé aujourd'hui. Mais à toi tout seul.

– Voilà, commence Monsieur Gaëtan. Depuis quelque temps,
la Bande forçait Benoît à voler. Il devait tout leur donner.
S'il ne l'avait pas fait, ils l'auraient frappé. Cela s'appelle
du chantage. Benoît a eu peur, alors il l'a fait.
Au fur et à mesure, la Bande voulait toujours plus… jusqu'à son
beau stylo en argent. Alors, il a fait semblant de l'avoir perdu.

Presque tous les jours, ils l'attendaient. Benoît n'osait rien dire.
Mais maintenant, tout est découvert et ils vont être
sérieusement punis.
– Et Benoît ? demande Frédéric d'un air anxieux.
– Pas Benoît, répond l'instituteur calmement.
Il a déjà été assez secoué comme cela !
Peu à peu, Frédéric comprend : finalement, Benoît ressemblait
à un voleur, mais il n'en était pas un !

En sortant, Frédéric aperçoit Benoît debout près d'un mur.
Il ne sait pas très bien ce qu'il doit faire. C'est difficile de
se conduire normalement, comme avant... comme avant le vol.
Frédéric hésite puis, d'un seul coup, il se met
à courir vers Benoît.

– Salut ! lance Frédéric après un petit temps.
– Salut ! répond Benoît.
Rien de plus. Ils n'ont pas besoin d'en dire davantage :
les vrais amis n'ont besoin que de peu de mots pour se
comprendre. Ils se regardent et se mettent à rire tous les deux…